NOUVELLES D'AFRIQUE

ADJÉ | CHRISTOPHE CASSIAU-HAURIE
JEAN-FRANÇOIS CHANSON | GILDAS GAMY
KANGOL LEDROÏD | KHP | CHRISTOPHE NGALLE EDIMO
KOFFI ROGER N'GUESSAN | POV

Dépôt légal mai 2014 - première édition.
ISBN : 978-2-336-30561-5
Direction artistique et maquette : Hobopok.
Achevé d'imprimer en mai 2014 par Just Colour Graphic à Barcelone (Espagne).

TABLE DES MATIÈRES

Brazzaville

Carmel ne sait même pas pourquoi elle s'est mise à l'abri de l'orage de feu qui disloque Brazzaville et fait éclater ses modestes maisons tandis que s'écoulent mortellement ses bonheurs et ses espoirs, avec le sang de ses blessures de chair. Les explosions ébranlent le refuge où s'entassent des gens terrorisés qu'elle ne connaît pas ; elle est si loin de son quartier ! Des enfants pleurent, des femmes hurlent ; d'autres sont pâles, résignés, épuisés par...
304

...le manque de nourriture et de sommeil ; beaucoup réagissent à peine à force d'avoir été choqués. Elle, elle s'accrochait avant à sa seule force : Prys et l'enfant qu'elle allait avoir de lui. Maintenant, elle les a perdus tous les deux, tout lui est égal.
HENI

Elle voudrait mourir, mais que la mort vienne la prendre ; elle ne peut pas se jeter au-devant, comme ça,...

...délibérément, peut-être par peur de l'atroce souffrance que peuvent causer les blessures, peut-être parce qu'il reste en elle quelque braise d'espoir.

Le monde où elle vivait n'existe plus, et même cette ville en train de crouler et de se déchirer lui semble étrangère ; ce paysage insolite fait de maisons crevées et de pans de murs n'est pas celui de son enfance, de sa jeunesse,...
304
...et sa jeunesse aussi vient de voler en éclats ; les lieux où elle a vécu, où elle a aimé Prys sont effacés à jamais de la surface de la terre, tout comme Prys lui-même...

Depuis quand était-il devenu le centre de sa vie ?
Quand avait-il commencé à représenter la dynamique de sa joie ou de sa tristesse ?... Elle avait entre treize et quatorze ans, ils habitaient dans une même concession...
...Lui dans une petite pièce avec des copains, elle dans un appartement modeste, avec sa tante ; il fréquentait l'école de peinture de Poto-Poto, il lui donnait des leçons d'arts plastiques ; à cette époque déjà, elle éprouvait pour lui un sentiment assez trouble.
Elle attendait avec impatience et anxiété ses heures de cours ; elle se savait bonne élève mais elle craignait tant de lui déplaire et tout la rendait mal à l'aise.
Quand il était parti, elle revivait avec ravissement tous les contacts positifs entre eux : les compliments, les conseils, la main tiède qui guidait parfois la sienne ; les moindres marques de désapprobation restaient en elle comme des blessures. Elle l'écoutait discuter avec ses copains au sujet des femmes mais aussi de la politique du pays.

Le Congo avait tourné le dos au marxisme-léninisme, mais la démocratie, le multipartisme à peine instauré divisait déjà ses fils. La résurgence du tribalisme et l'intolérance avaient entraîné presque aussitôt le pays dans d'horribles affrontements ethniques entre 1993 et 1994, dont les rancunes, comme jamais exarcerbées, demeuraient tenaces.
Le temps avait passé. Adolescente, elle savait qu'elle l'aimait, avec l'inévitable douleur d'une passion, avec aussi ses joies indicibles : Quelques paroles sur leur vie privée : « C'est bien triste que tu aies perdu tes parents si jeune, mais tu es courageuse et Dieu t'a donné beaucoup de qualités pour compenser... » « je suis de sang mêlé et seul garçon de ma famille. Mais, je pense qu'on est avant tout originaire du milieu qui nous a forgés...
Mais que de tourments... Il aimait dessiner passionnellement les femmes, et elles constituaient naturellement l'essentiel de sa clientèle. Des jeunes filles coquettes et très sophistiquées, pour la plupart, à qui elle n'arrivait pas à la cheville. Elle en souffrait secrètement. On peut aimer sans rien en dire et les mots sont souvent incertains, mais personne ne peut en dissimuler les signes. Il l'avait aperçue une fois dans la rue avec un jeune séducteur efficace du quartier, et ne lui disait plus « assez » bonjour en la croisant.

Et puis le jour où elle avait réussi au baccalauréat, il était venu comme tous les voisins et amis pour la féliciter, il lui avait apporté un cadeau : un joli portrait d'elle peint de sa main ; L'étroite cour était pleine. Cela avait donné lieu à une fête. Dans la transe des rumbas et de l'ivresse des sens, il l'invita à danser. Dans un langage sans effort des fleurs et des choses muettes, leur étreinte exaltait le parfum d'un amour indicible.
Et ensuite ils n'avaient plus cessé de se rencontrer « par hasard » pour parler un moment, faire un bout de chemin ensemble. Une merveilleuse époque avait commencé pour Carmel : elle découvrait jour après jour, bravant les interdits, les délices de l'amour, comme un enfant les merveilles du ciel étoilé jusqu'à l'instant suprême.
Un jour, la famille de Prys était venue de son village pour la demander à sa tante... Les fiançailles, la dot, l'enfant qu'elle allait avoir : elle avait vécu tout cela comme un rêve, éperdue de bonheur malgré l'atmosphère d'échauffement politique qui enflammait les conversations et les cœurs... Tout lui paraissait trop beau.
KHI

Puis il y avait eu les événements d'Owando et d'Oyo en mai, et ensuite la guerre avait commencé à M'Pila au petit matin du 5 juin 1997 et gagné toute la capitale comme une flambée d'un mal sournois.
Des combats d'une rare violence avec l'emploi d'armes lourdes sur des quartiers populaires.
L'artiste avait laissé son crayon pour un fusil d'assaut AK-47.
« Je suis un enfant de Talangaï, je ne peux pas dessiner pendant que les miens se font tuer. »
Et il était parti avec ses passions et ses illusions :
« Je reviendrai, attends-moi sans te tourmenter. Si la situation s'aggrave, va chez mes parents, je te retrouverai là-bas, je veux être tranquille à ton sujet, je ne veux pas que tu exposes ta vie...

Il avait des idées en politique, mais elle n'aurait jamais cru que cela prêterait à d'aussi tragiques conséquences.
Le jour où il était enfin revenu du front, elle l'avait supplié de renoncer à cette folie dont le peuple pris en otage souffrait le martyre sans pourtant en tirer aucun bénéfice et lui avait annoncé qu'il allait être père. Mais, dans une guerre, le passage est bien court de la joie aux douleurs. En effet, à l'instant d'après, Prys avait été littéralement fauché par...
...les éclats de roquette d'un hélicoptère de combat Mi24. Pendant quelques secondes, il lui avait semblé qu'elle allait accomplir une action extraordinaire, hors du commun, puis elle s'était évanouie. Revenue à sa douleur peu après, elle entendait sa tante qui tout en s'occupant d'elle, approuvait le visiteur : « Mais, bien sûr, il n'y avait pas d'autre choix que de l'ensevelir là, au coin de la rue M'pouya. Elle ne peut pas se déplacer maintenant vu son état mais dès que son enfant sera né...
...nous rejoindrons ses beaux-parents; la présence d'un descendant de leur fils unique adoucira un peu leur peine. Nous appartenons à Dieu et nous sommes destinés à lui revenir. »
Carmel n'avait presque pas pleuré; elle était restée deux jours sans manger, les yeux à peine humides. Sa tante lui répétait sans cesse les mêmes paroles : Tu n'as pas complètement perdu Prys, il te reste son enfant qui le fera revivre auprès de toi à mesure que tu l'élèveras. Il t'écoutera raconter la vie de son pére, il l'aimera avec toi.

Les douleurs avaient commencé en même
temps que l'intensification des terrifiants
bombardements des BM21 (version moderne
des orgues de Staline) et des obusiers de 122mm
(D30).
Elle avait dû beaucoup attendre avant d'être transportée
à l'hôpital puis secourue. Elle avait tout supporté avec
courage ; il lui semblait qu'elle allait retrouver Prys, recom-
mencer quelque-chose avec lui, une existence avec un souvenir,
matérialisé, elle espérait... L'enfant, un petit garçon, le fils
de Prys, était mort-né. Ensuite, elle ne savait plus...
Quand elle est sortie
de l'hôpital, épuisée,
égarée, elle a trouvé
son quartier aux trois-
quarts détruit : c'était
donc pour cette raison
que sa tante n'était
jamais revenue...
Bien sûr, elle aurait dû
s'en douter. Elle n'a même
pas réagi en voyant
les maisons où elle avait
vécu éventrées et aban-
données ; elle a murmuré
misérablement : « Ma tan-
te... ma tante »

Et puis elle s'est mise à marcher droit devant elle, au hasard, malgré sa fatigue et sa souffrance morale et physique. Elle n'a pas pensé qu'il lui faudrait quitter Brazzaville, devenue un champ de bataille, et se mettre à l'abri avec le reste de la population des quartiers nord dispersée sur la route nationale numéro deux, trouver de la nourriture : Elle ne veut ni de l'un ni de l'autre, mais comment? Est-il permis de mourir de chagrin...
...à Brazzaville, près de ceux qui endurent une agonie atroce? C'est ainsi qu'une pluie d'obus de mortier l'avait surprise. Elle a suivi un petit groupe de gens perdus comme elle. Elle s'est abritée avec eux, tandis qu'un vieux char T54 rispostait non loin de là.
302
Lentement, son esprit s'est remis à fonctionner, d'abord avec des vagues impressions.
Puis elle a revu toute sa vie comme ceux qui vont mourir.
FIN

La malédiction du peintre en lettres

MON CHÉRI, AIE CONFIANCE...CE VIL PATRON VA ENFIN TE PAYER, J'AI VU ÇA EN RÊVE
MA CHÉRIE, J'AIME TON RÊVE. IL ME REND TRÈS FORT. ET TU VERRAS, CE SOIR NOUS MANGERONS BIEN.

CE PATRON-LÀ, IL DISAIT ME PAYER CHAQUE LUNDI... TROIS LUNDIS DE RETARD DÉJÀ... ALORS QUE LA FAIM DES ENFANTS NE TARDE PAS...

AH! PATRON! VOUS VOILÀ ENFIN! REGARDEZ! J'AI TERMINÉ AVEC DEUX JOURS D'AVANCE!

WAOUH! C'EST TRÈS BIEN! LES CONCURRENTS VONT ÊTRE JALOUX DE MON MAGASIN! BRAVO PETIT!

MERCI PATRON. SI VOUS ÊTES CONTENT ALORS JE SUIS FIER DE MOI!
PETIT, COMME TU ES FORT JE TE DONNE UN AUTRE CHANTIER ET JE TE PAIERAI LES DEUX À LA FIN DU MOIS.

NON! NON! CE N'EST PAS POSSIBLE VOUS AVIEZ PROMIS ME PAYER AUJOURD'HUI! MES ENFANTS ONT FAIM.
TES ENFANTS ONT FAIM PLUS QUE QUI? TOUT LE MONDE A FAIM. JE TE DONNE DU TRAVAIL ALORS TU TE TAIS!

LE PATRON C'EST MOI! JE PAYE QUAND JE VEUX! TU AS COMPRIS? JE SAIS PAS SI TU AS COMPRIS. TU AS COMPRIS?

JE T'ATTENDS LUNDI PROCHAIN À MON ENTREPÔT OK? N'OUBLIE PAS.

JE SUIS FATIGUÉ. MA FEMME EST FATIGUÉE. MES ENFANTS SONT FATIGUÉS. QUE FAIRE?

PAPA EST LÀ! PAPA EST LÀ! PAPA EST LÀ! MAMAN...

MON MARI, TU AS L'AIR TRÈS DÉÇU... QUOI QU'IL SE SOIT PASSÉ, SACHE QUE NOUS SOMMES AVEC TOI.
MA CHÈRE ÉPOUSE PARDONNE-MOI DE TE DÉCEVOIR ! LE PATRON NE M'A PAS PAYÉ.

PAPA, EST-CE QU'ON VA TRÈS BIEN MANGER CE SOIR ? CAR SINON J'AI FAIM À L'ÉCOLE.
MON FILS JE... IL FAUT ATTENDRE. TA MÈRE ET MOI NOUS ALLONS BIEN RÉFLÉCHIR.

HEU... MA CHÉRIE, SI ON DEMANDAIT ENCORE UNE AIDE À LA VOISINE TU CROIS QUE...
VAS-Y MON CHÉRI. LA VOISINE NE SE FATIGUERA JAMAIS DE NOUS AIDER, JE LA CONNAIS TRÈS BIEN.

HEU... MADAME IL FAUT BEAUCOUP M'EXCUSER MAIS CE SOIR ENCORE JE N'AI RIEN GAGNÉ.
MON AMI, TES ENFANTS ONT FAIM ? JE M'Y ATTENDAIS ALORS ACCEPTE CETTE AIDE, C'EST AVEC LE COEUR.

MA CHÉRIE, GRÂCE AUX RELATIONS QUE TU AS TISSÉES DANS LE QUARTIER, NOUS NE SOMMES PAS SEULS.

MON CHÉRI, VIENS TE COUCHER PRÈS DE MOI NE T'INQUIÈTE SURTOUT PAS NOUS SOMMES ENSEMBLE.

FAMILLE, COMME J'AI LA RÉPUTATION D'UN BON TRAVAILLEUR, JE VAIS CHERCHER UN CONTRAT DANS LA VILLE

YAMAHA

ON DIRAIT QU'IL N'Y A PLUS D'ESSENCE DÉCIDÉMENT, RIEN NE NOUS EST ÉPARGNÉ SOUS LE SOLEIL!
OH NON! NON ET NON! PAS ÇA !!

MON CHÉRI IL FAUT M'ÉCOUTER. REDRESSE-TOI SINON LA DÉPRESSION VA ARRIVER SUR TOI!
YAMAHA

NE RESTE PAS LÀ, VA AU CENTRE-VILLE, BATS-TOI POUR NOUS. J'AI CONFIANCE.
MA FEMME, TU AS RAISON JE DOIS ME BOUGER ENCORE. VA CHERCHER MA CASQUETTE, JE VAIS ALLER À PIED.

MON FRÈRE, JE TE RECONNAIS ! ON DIRAIT QUE TU VAS MAL ?
GRAND FRÈRE C'EST MAUVAIS. JE N'AI PAS D'ARGENT.

GRAND FRÈRE, J'AI BEAU TRAVAILLER DUR, LES PATRONS TARDENT À ME PAYER. JE SUIS À BOUT...
VA DU CÔTÉ DU GRAND MARCHÉ VOIR LE PROPRIÉTAIRE DU BAR. IL PAYE PEU MAIS COMPTANT.

TU VOIS ?
LE NUMÉRO 6
EST TRÈS FORT
IL EST BON.
IL JOUE BIEN.

C'EST VRAI. IL EST TRÈS FORT. SI J'ÉTAIS UN AGENT DE FOOT, JE L'ENVERRAIS EN EUROPE.

WOUUiiiiiiii

WOUUUiiiiiii
FIN
J'AI TROUVÉ LA FIN DE NOTRE SOUFFRANCE. LA SOLUTION C'EST L'EUROPE...

Un Congolais au Maroc

QUARTIER G5, RABAT, MAROC.
BIP ! BIP !
SUCRE

ZUT ! JE VAIS ENCORE ÊTRE EN RETARD AU BOULOT.

QU'EST-CE QUE TU FAIS, BERNARD ?

JE N'EN REVIENS PAS, GISLAINE. APRÈS TOUS CES MOIS DE GALÈRE, D'ABORD POUR VENIR ICI DEPUIS BRAZZA, PUIS À TRAVAILLER COMME UN ESCLAVE, J'AI ENFIN LES QUINZE MILLE DIRHAMS POUR PAYER CE MAUDIT PASSEUR !
MOI AUSSI, J'Y SUIS PRESQUE. ON PART TOUJOURS ENSEMBLE ?

BIEN SÛR, MON AMOUR ! ON VERRA PARIS ENSEMBLE OU ON NE LE VERRA PAS. JE TE LE PROMETS.
BIZ.

TU NE LAISSES PAS TON ARGENT ICI ?

JE N'AI CONFIANCE DANS AUCUN DES DIX GARS QUI OCCUPENT LES TROIS AUTRES CHAMBRES DE CET APPARTEMENT INSALUBRE.

JE N'EN REVIENS PAS QUE FAIRE LA MENDIANTE À UN CARREFOUR DE L'AGDAL TE RAPPORTE AUTANT QUE MON MAUDIT BOULOT.
À CE SOIR, MA CHÉRIE !

* NÈGRE ! NÈGRE !

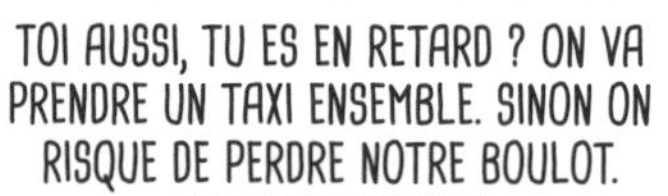

* NOTRE DIEU NOUS PARDONNERA ÇA, BERNARD.

* MERCI, MONSIEUR.

EN VOICI UN FACILE À ATTRAPER. RESTE ICI, L'ÉCLOPÉ !

JE SUPPOSE QUE TES PAPIERS SONT À LA MAISON OU PERDUS.

BINGO !

MAIS CE N'EST PAS JUSTE ! VOUS... VOUS N'AVEZ PAS LE DROIT !
200

ET ÇA, J'AI LE DROIT, SALE SINGE ?!

HUMPF !

ON… ON EST OÙ ?

ON VIENT DE DÉPASSER OUJDA. ILS VONT NOUS RELÂCHER DANS QUELQUES KILOMÈTRES, AU MILIEU D'UN NO MAN'S LAND ENTRE L'ALGÉRIE ET LE MAROC. JE LE SAIS, IL Y A SIX MOIS J'ÉTAIS DÉJÀ DANS CE CAR.

JE T'AI MIS DE CÔTÉ DE LA BOUFFE. VU TON ÉTAT ET CE QUI T'ATTEND, TU VAS EN AVOIR BESOIN.

ÉCOUTE, TU NE PEUX VRAIMENT PAS VENIR AVEC NOUS. AVEC TON PIED, C'EST IMPOSSIBLE !

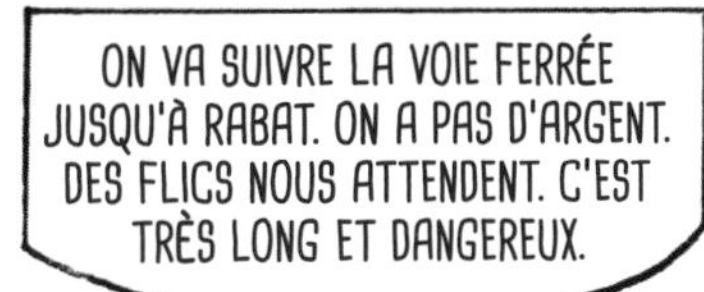
ON VA SUIVRE LA VOIE FERRÉE JUSQU'À RABAT. ON A PAS D'ARGENT. DES FLICS NOUS ATTENDENT. C'EST TRÈS LONG ET DANGEREUX.

EUX, ILS VONT À OUJDA. SUIS-LES. UNE FOIS LA NUIT TOMBÉE, ILS IRONT SE RÉFUGIER CHEZ LES NIGÉRIANS.

ILS T'HÉBERGENT LE TEMPS DE TE FAIRE DES FAUX PAPIERS POUR POUVOIR PASSER LES CONTRÔLES SUR LA ROUTE OU DANS LE TRAIN. IL Y A DES ARRANGEMENTS POSSIBLES SI TU NE PEUX PAS PAYER… VU TON ÉTAT, TU N'AS PAS LE CHOIX, MON FRÈRE.

LAISSEZ-MOI ENTRER, JE VOIS EN SUPPLIE. ! IL Y A DES FLICS QUI PATROUILLENT DANS LA VILLE !
ON SAIT. CE SONT DES AMIS.

JE PAIERAI DÈS QUE JE SERAI À RABAT.
VOUS DITES TOUS ÇA. TU AS DE LA FAMILLE QUI PEUT PAYER POUR TOI ?
JE M'ÉTAIS PROMIS DE NE PAS FAIRE APPEL À EUX...

TU N'AS QUE QUELQUES HEURES POUR QUE ÇA MARCHE. TU AURAS UNE CHAMBRE ET DES PAPIERS LORSQUE LA SOMME AURA ÉTÉ VERSÉE SUR UN DE NOS COMPTES.

TU AS VU COMMENT TON FRÈRE A HÉSITÉ À T'ENVOYER LE FRIC ! C'ÉTAIT MOINS UNE ! TA CHAMBRE EST AU FOND. IL Y A DÉJÀ QUATRE PERSONNES DEDANS, VOUS VOUS SERREREZ !
AAAAH ! NON !

TOI, FERME TA GUEULE SI TU VEUX GARDER TES DENTS !

C'ÉTAIT QUOI ?
UNE FILLE QUI N'AVAIT PAS DE QUOI PAYER, AVEC QUI ON A TROUVÉ UN ARRANGEMENT, SI TU VOIS CE QUE JE VEUX DIRE.

VOUS... VOUS POURRIEZ ME PRÊTER UN TÉLÉPHONE ? JE DOIS PRÉVENIR QUELQU'UN D'URGENCE À RABAT.
TU AS DE QUOI PAYER ?

Mon amour

On m'a dit que tu as été embarqué par les policiers et qu'on t'avait pris au passage tout ton argent. Je pars donc à Oujda te retrouver avec de l'argent pour que l'on puisse revenir ici sans encombre. On m'a un peu expliqué comment cela se passai

Si tu trouves cette lettre, cela veut dire que l'on se sera croisé sur la route. Téléphone moi pour que je revienne vite a toi.

Je t'aime Gislaine

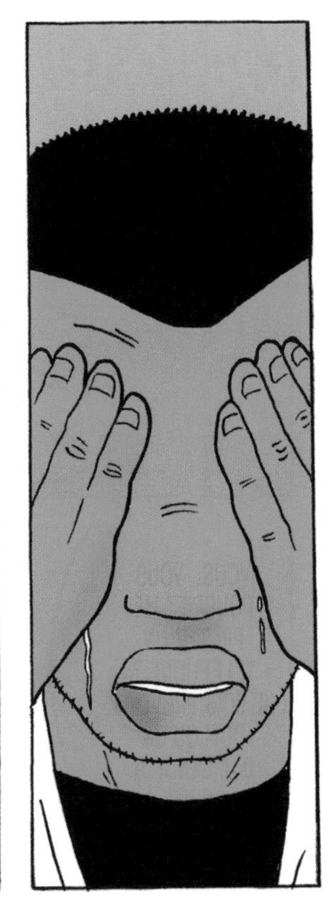

Le refuge

TREICHVILLE - ABIDJAN. JUILLET 1961.
DU ROUGE VIF!
LE REFUGE
Le refuge
SCÉNARIO : CHRISTOPHE CASSIAU-HAURIE
DESSIN : POV

J'AI DIT DU ROUGE VIF! C'EST QUAND MÊME PAS COMPLIQUÉ!
LE REFUG
Le Refuge
Bar. Resto
Cabaret
BARBARA
EN RÉCITAL
CE SOIR

HOULA! IL EST PAS COMMODE LE PATRON AUJOURD'HUI.
MOUAIS...

TU SAIS POURQUOI?
CHAIS PAS. DOIT ÊTRE SUR UN GROS COUP.

À MOINS QUE CE NE SOIT ENCORE UN COUP DES CORSES.

C'EST BIEN LUIGI, Y'AVAIT DES RETOUCHES À FAIRE.

DIS DONC, T'ES EN RETARD!

TU PLAISANTES ? C'EST JO QUI M'A OBLIGÉ À CHANGER DE ROBE.
POURQUOI ?

DU ROUGE QU'IL VOULAIT. DU ROUGE!

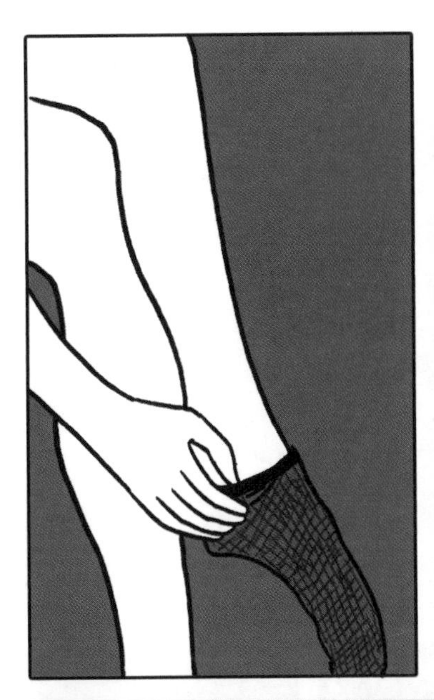

JE L'AI JAMAIS VU COMME ÇA, LE JO. T'AS UNE IDÉE POURQUOI?

T'AS ENTENDU PARLER DES SICILIENS ?
OUI, ÉVIDEMMENT.

ON DIT QU'ILS CHERCHENT À S'IMPLANTER SUR ABIDJAN.
NOOOOON!

JE LE SAIS DE SOURCE SÛRE.
Y AURAIT NÉGOCIATION AU SOMMET, CE SOIR.

MAIS POURQUOI TOUT CE ROUGE?

PARCE QUE ÇA LAISSE MOINS DE TRACES...

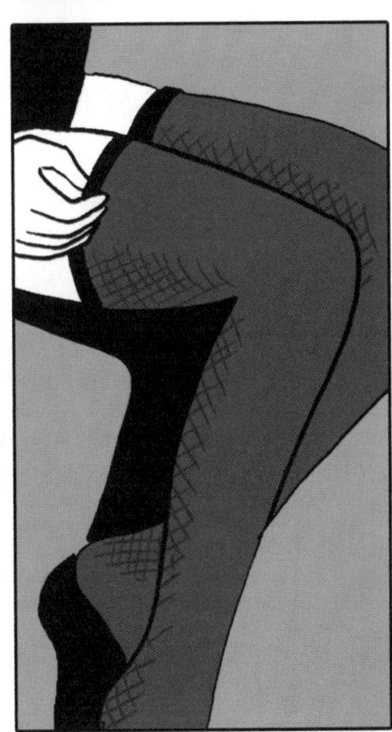

TU L'AS TROUVÉ OÙ?

CHEZ LE GREC. ÇA A COÛTÉ LES YEUX DE LA TÊTE.
LE PATRON A RÉAGI COMMENT?

IL A JUSTE DIT, DU MOMENT QUE CE SOIT EN ROUGE, ON PREND!

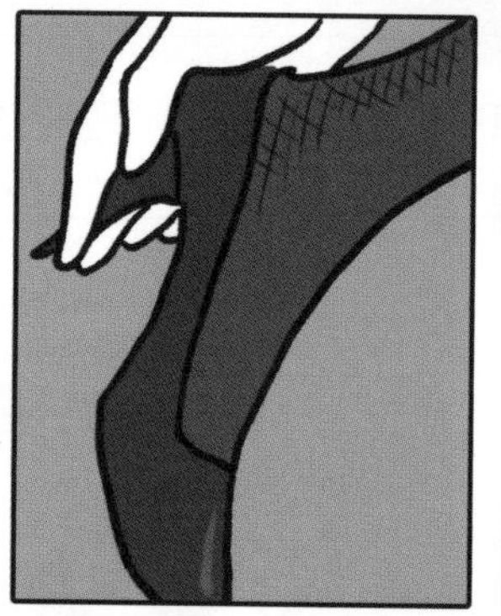

FAUDRAIT VOIR À S'ACTIVER!

ON OUVRE DANS UNE DEMI-HEURE!

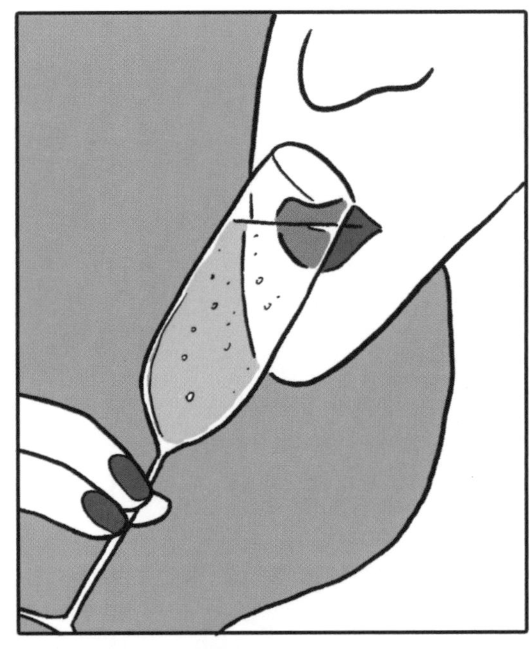

DÉDÉ, T'Y ARRIVES ?
PRESQUE, PATRON. IL ME RESTE ENCORE UN OURLET ET CE SERA O.K.

IL TE RESTE ENCORE COMBIEN DE NAPPES ?
PLUS QUE DEUX.

LA DERNIÈRE FOIS QUE J'AI VU DÉDÉ SE SERVIR DE SES MAINS C'ÉTAIT POUR METTRE UNE RACLÉE À LOUISETTE SA PROTÉGÉE...

ELLE LUI AVAIT PAS RAPPORTÉ ASSEZ POUR SES MENUES DÉPENSES.

MOI, JE PENSE QUE C'EST PLUTÔT POUR RENDRE HOMMAGE À MIKE LE BELGE.

QUOI, LE MARSEILLAIS ???
ON DIT QU'IL EST VENU SE METTRE AU VERT DANS LE COIN.

BON, ON ARRÊTE! LES CLIENTS VONT ARRIVER.

JE VOUS PRÉVIENS, SI IL Y EN A UN SEUL QUI FAIT LE BAZAR DURANT LE TOUR DE CHANT DE BARBARA...

JE LUI COLLE UN PRUNEAU EN PLEINE FACE, COMPRIS?

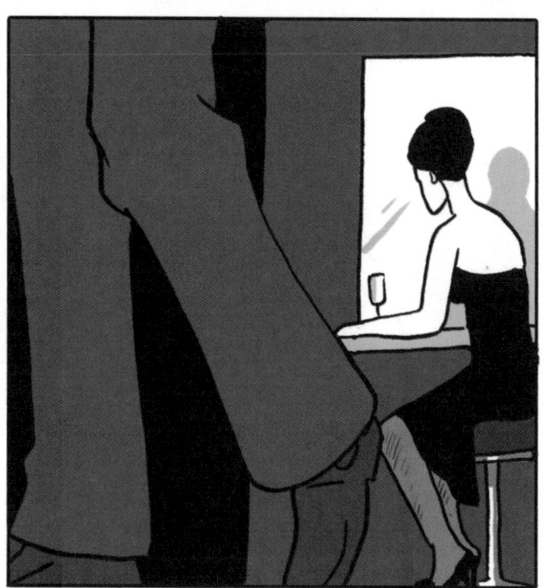

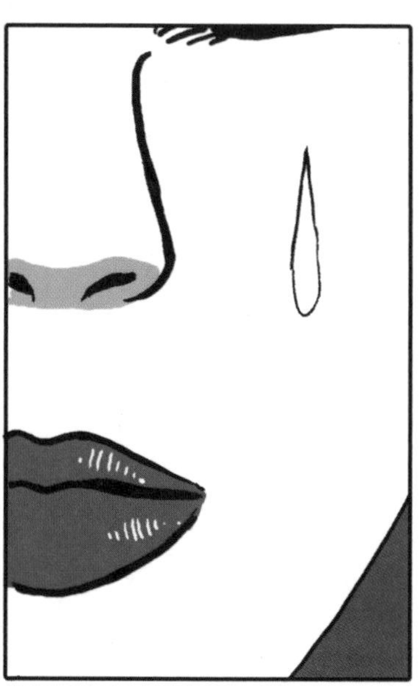

TOC TOC TOC
ENTREZ !

C'EST BIENTÔT À VOUS, MADEMOISELLE. LA SALLE EST PLEINE.
MERCI. J'ARRIVE.

J'AI TOUT FAIT METTRE EN ROUGE, COMME CONVENU.

VOILÀ COMBIEN DE JOURS,
VOILÀ COMBIEN DE NUITS,
VOILÀ COMBIEN DE TEMPS
QUE TU ES REPARTI...

TU M'AS DIT : "CETTE FOIS
C'EST LE DERNIER
VOYAGE".

POUR NOS COEURS
DÉCHIRÉS
C'EST LE DERNIER
NAUFRAGE !

DIS, QUAND REVIENDRAS-TU ?
DIS, AU MOINS LE SAIS-TU ?
FIN

L'esprit de famille

L'ESPRIT DE FAMILLE

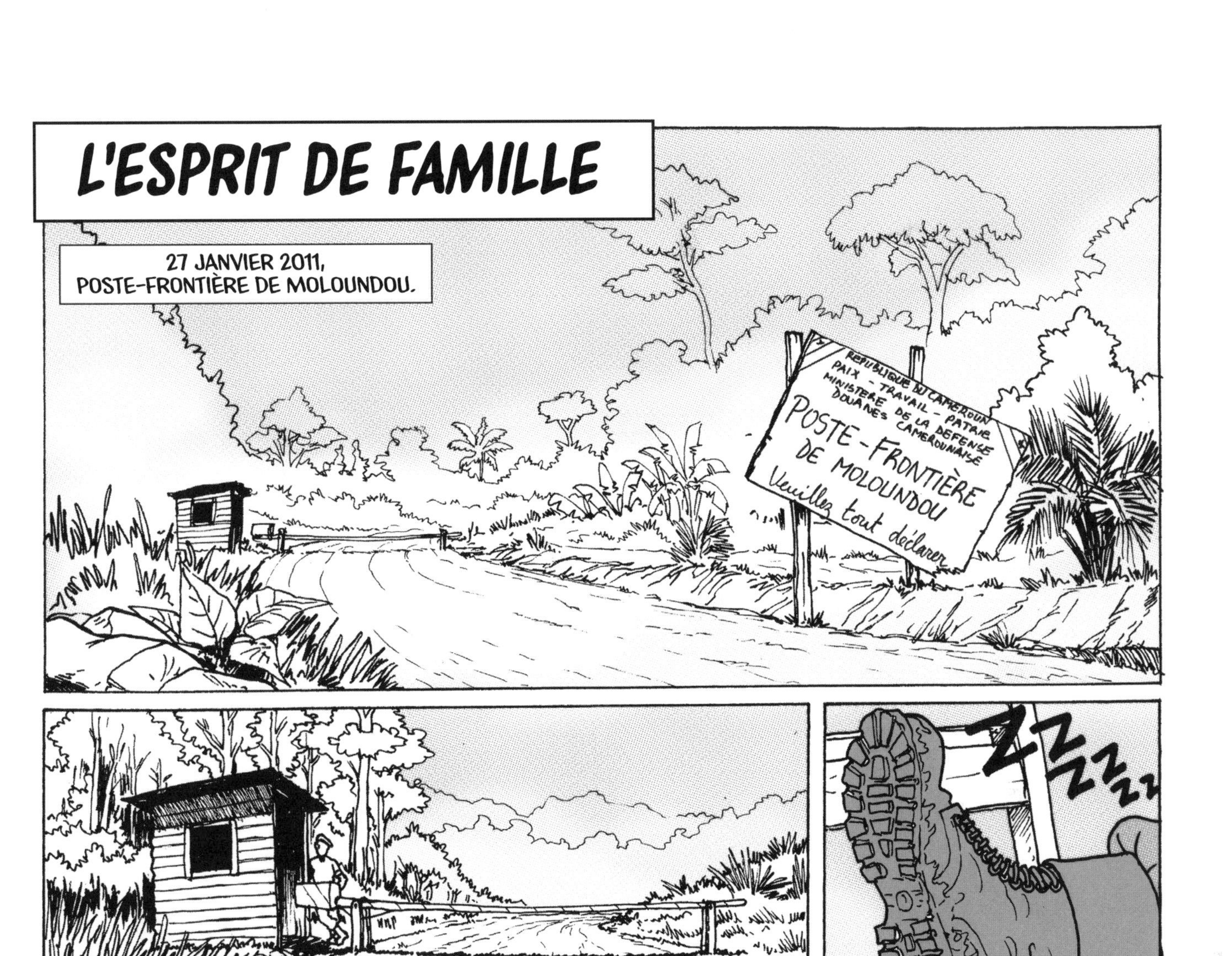

Z Z Z Z Z

GENDARMERIE NATIONALE !

PAPA MAKOLO, CITOYEN CONGOLAIS.

QU'AVEZ-VOUS À DÉCLARER ?
RIEN.

VOUS ALLEZ OÙ ?

JE VAIS À YOKADOUMA VISITER UN COUSIN.

BRIGADIER ! FOUILLEZ LE VÉHIC... EUH... L'ANIMAL !
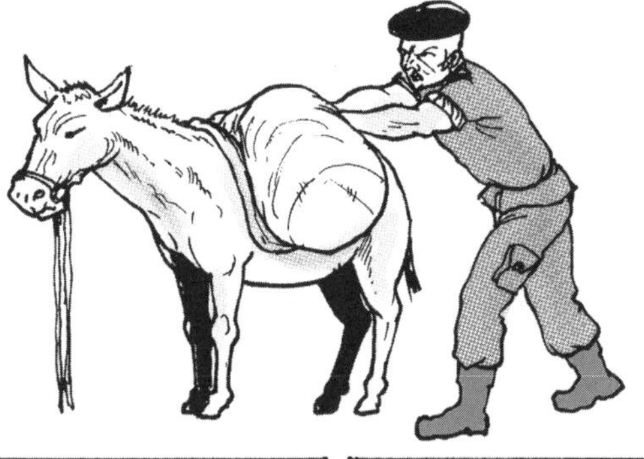

SUCRE

RIEN DE SUSPECT, CHEF !

VOUS POUVEZ CIRCULER.

14 FÉVRIER 2011.
CHEF !

CHEF, CHEF ! C'EST ENCORE LE VIEUX.

QU'AVEZ-VOUS À DÉCLARER ?
RIEN, CHEF.

OÙ ALLEZ-VOUS ?

JE VAIS RENDRE VISITE À UN COUSIN À YOKADOUMA.

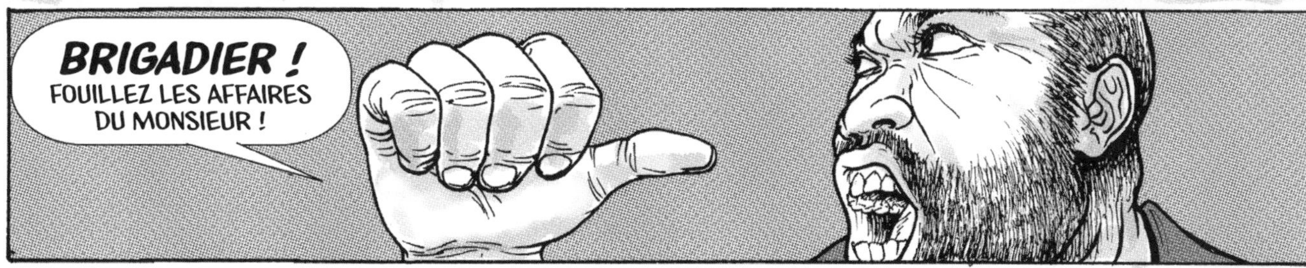
BRIGADIER ! FOUILLEZ LES AFFAIRES DU MONSIEUR !

RIEN DE SUSPECT, CHEF !

C'EST BON. VOUS POUVER CIRCULER.

C'EST QUAND MÊME CURIEUX, ON NE LE VOIT JAMAIS REVENIR, CE MAKOLO.
BOF... IL DOIT PRENDRE UNE PISTE PARALLÈLE.

27 FÉVRIER 2011.
CHEF, CHEF ! LE VIEUX EST LÀ !

BONJOUR, VIEUX MAKOLO !

BONJOUR CHEF. JEVAIS...

...VISITER UN COUSIN À YOKADOUMA ! ON SAIT, ON SAIT, TU PEUX CIRCULER.

CHEF, C'EST BIZARRE, ÇA FAIT DOUZE FOIS QUE LE VIEUX MAKOLO VA VOIR SON COUSIN À YOKADOUMA EN DEUX MOIS À PEINE...

FAUT CROIRE QU'ILS S'ENTENDENT BIEN. IL A L'ESPRIT DE FAMILLE !
MOI, JE SUIS SÛR QU'IL FAIT DU TRAFIC !
MAIS DE QUOI VEUX-TU ? ON A TOUT FOUILLÉ !

8 MARS 2011.
CHEF, CHEF ! C'EST MOI !

C'EST MOI, MAKOLO.

DIS BONJOUR À TON COUSIN !

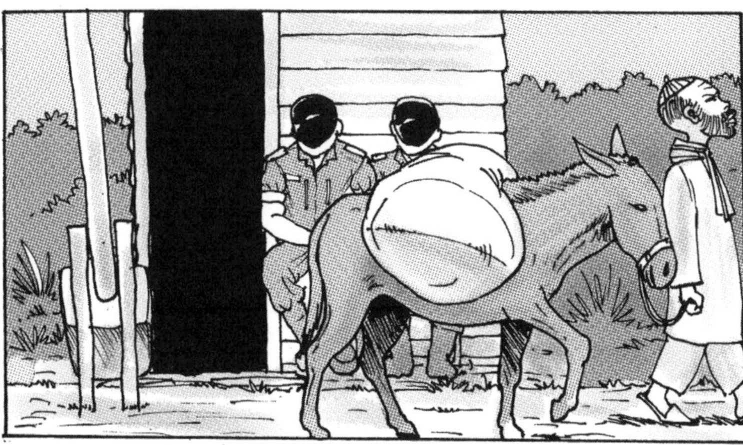

CHEF, ÇA FAIT COMBIEN DE FOIS QU'IL PASSE POUR ALLER VISITER SON COUSIN À YAKODOUMA ?

JE NE COMPTE PLUS. LA SEULE CHOSE QUE JE SAIS, C'EST QUE DEMAIN C'EST LA QUILLE ! ON QUITTE CE MAGNIFIQUE ET TRÉPIDANT ENDROIT POUR RETOURNER ENFIN À LA CAPITALE.
NOTRE MISSION EST ACHEVÉE.

BONJOUR, CHEF !
!?
!?
!?
PLUSIEURS HEURES PLUS TARD.

BONJOUR ! OÙ SE TROUVE L'ARRÊT DU BUS POUR BERTOUA, S'IL-VOUS-PLAÎT ?

VOUS CONTINUEZ TOUT DROIT, C'EST SUR LA RUE PRINCIPALE, JUSTE À CÔTÉ DE CHEZ MAKOLO.

MERCI !
MAIS...

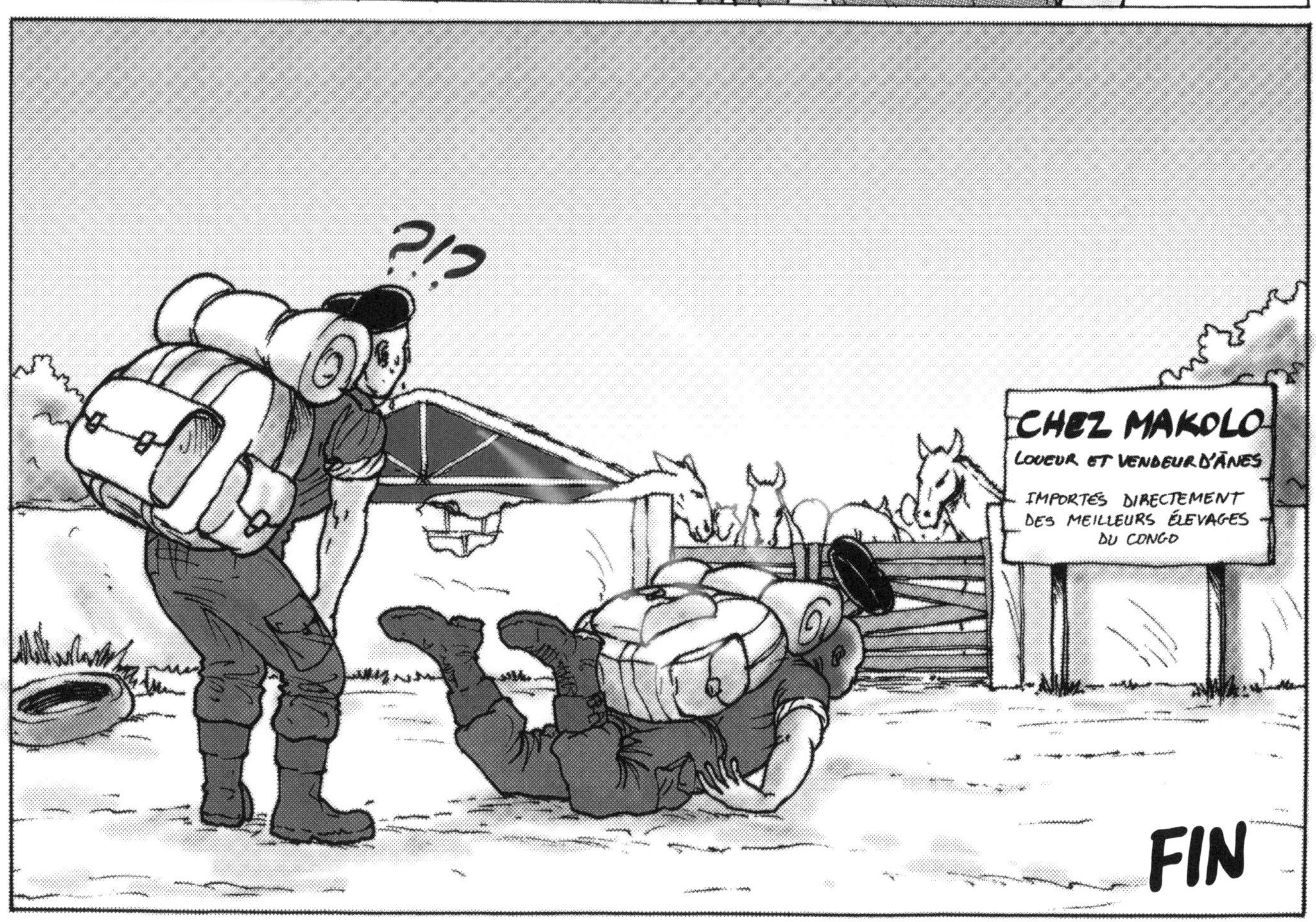
?!?
CHEZ MAKOLO
LOUEUR ET VENDEUR D'ÂNES
IMPORTÉS DIRECTEMENT DES MEILLEURS ÉLEVAGES DU CONGO
FIN

Le voyage de Bouna

QUARTIER PARCELLES, ASSAINIES, DAKAR.
MAINTENANT UNE QUESTION À 500 EUROS!

JE SUIS UN FOOTBALLEUR ARGENTIN ET JE JOUE AU FC BARCELONE. QUI SUIS-JE?

JE LE SAVAIS! J'AURAIS DÛ GAGNER TOUT CE FRIC!
UN INDICE?
BOUNA!

TU ES ENCORE DEVANT LA TÉLÉ! TU PENSES QUE JE VAIS TE NOURRIR JUSQU'À TA MORT? FILE CHERCHER DU TRAVAIL, FILS!
MAIS PAPA, IL N'Y A RIEN POUR MOI, TU LE SAIS BIEN!
TU N'AVAIS QU'À PAS QUITTER L'ECOLE AU CM2. IL VA FALLOIR TE CONTENTER DE PEU!
ÇA NE SE PASSERAIT PAS COMME CELA SI MAMAN ÉTAIT ENCORE LÀ!
TU DIS TOUJOURS ÇA! JE TE PRÉVIENS. À TA MAJORITÉ, SI RIEN N'A CHANGÉ, TU QUITTES LA MAISON!
VLAM!

SI ON SE MARIE, TU VIENDRAS AVEC MOI EN FRANCE, TU VERRAS : LÀ-BAS, PAS BESOIN DE TRAVAILLER POUR GAGNER L'ARGENT. FINIE, TA VIE DE MERDE!

AÉROPORT DE DAKAR, 10 JANVIER 1999.
AIR AFRIQUE
TOUR DE CONTRÔLE ATTENDONS AUTORISATION POUR DECOLLER
C'ÉTAIT LE TROISIÈME AVION QUI PASSAIT DEVANT MOI. JE DEVAIS TENTER MA CHANCE ET ESPÉRER QU'IL AILLE BIEN VERS L'EUROPE !
AUTORISATION ACCORDÉE !
JE FAILLIS ME FAIRE ÉCRASER PAR LE TRAIN D'ATTERRISSAGE RENTRANT DANS SON COMPARTIMENT
AIR AFRIQUE
ASSEZ RAPIDEMENT LA TEMPÉRATURE CHUTA ET J'EUS DU MAL À RESPIRER !
JE TOMBAI INCONSCIENT QUELQUES INSTANTS PLUS TARD, J'AURAIS DÛ TAPER SUR LES PAROIS POUR LEUR INDIQUER QUE J'ÉTAIS LÀ. MAIS M'AURAIENT-ILS ENTENDU ?

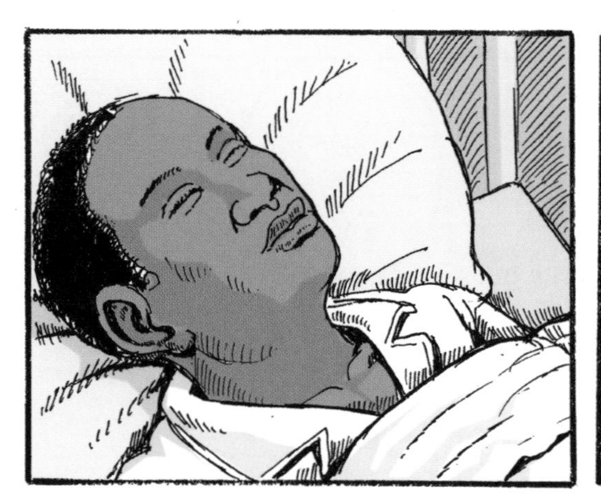
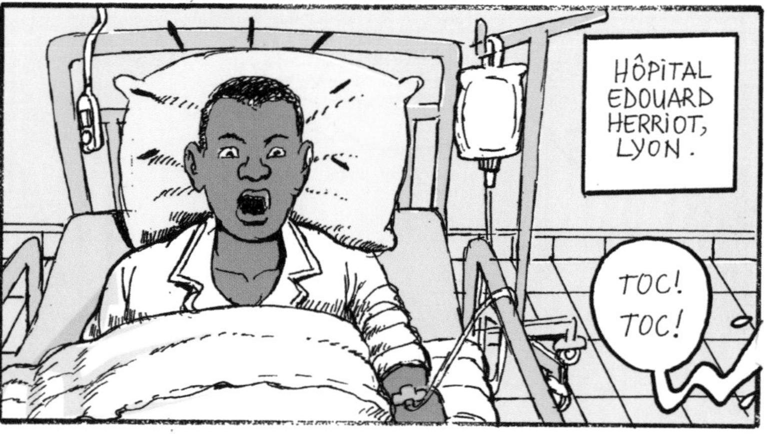
HÔPITAL EDOUARD HERRIOT, LYON.
TOC! TOC!

VOILÀ DONC NOTRE MIRACULÉ !!
5 HEURES À -40°C ET UNE ALTITUDE DE 5000 MÈTRES LES SPÉCIALISTES PENSAIENT UNE SURVIE DANS CES CONDITIONS IMPOSSIBLE!
APPAREMMENT, IL AURA DES SÉQUELLES PSYCHOLOGIQUES!

BONJOUR MONSIEUR ANRI. TOUJOURS AUCUN SOUVENIR QUI POURRAIT NOUS METTRE SUR UNE PISTE?

JE SUIS LÀ CAR IL Y A DU NOUVEAU. VOS RADIOS OSSEUSES INDIQUENT QUE VOUS ÊTES BIEN MINEUR.

VOUS ALLEZ ÊTRE PLACÉ DANS UN FOYER EN ATTENDANT VOTRE MAJORITÉ. APRÈS ON NE SAIT PAS ENCORE!

J'Y VAIS. AU REVOIR. VOUS ALLEZ AVOIR LA VISITE D'UN REPRESENTANT DES ASSOCIATIONS QUI VOUS ONT SOUTENU.

AVANT QUE LE GAUCHISTE ENTRE, ENLEVEZ-LUI LES MENOTTES. LA PROCÉDURE EST DÉJÀ SUFFISAMMENT ENTACHÉE D'IRREGULARITÉS COMME ÇA!

FAUDRAIT PAS QUE LE GAMIN RESTE ICI, SINON ON VA TROUVER DES CADAVRES CONGELÉS DANS TOUS LES COMPARTIMENTS DE TRAIN D'ATTERRISSAGE D'AVION VENANT D'AFRIQUE!
DE TOUTE FAÇON, DES MESURES VONT ÊTRE PRISES. IMAGINE À SA PLACE UN BARBU AVEC UNE BOMBE!

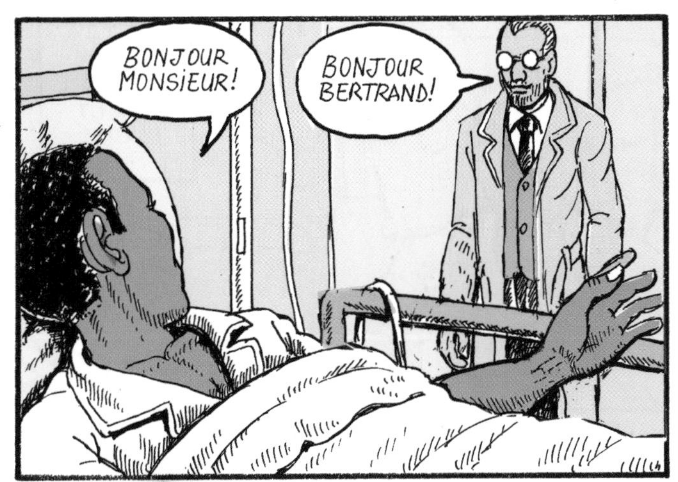
BONJOUR MONSIEUR!
BONJOUR BERTRAND!

MAIS PEUT-ÊTRE DEVRAIS-JE T'APPELER BOUNA WADE?

LES AUTORITÉS FRANÇAISES VONT ÊTRE AVERTIES DANS QUELQUES HEURES PAR LEURS HOMOLOGUES SÉNÉGALAIS. TON PÈRE T'A RECONNU DANS UN REPORTAGE TÉLÉ. IL IRA AU COMMISSARIAT CET APRÈS-MIDI. C'EST UNE DE NOS ANTENNES LOCALES QUI NOUS A PRÉVENU!

LES POLICIERS VONT APPRENDRE QUE TU ES MAJEUR ET TU VAS ÊTRE SÛREMENT EXPULSÉ. ON VA SE BATTRE, MAIS JE NE TE PROMETS RIEN!

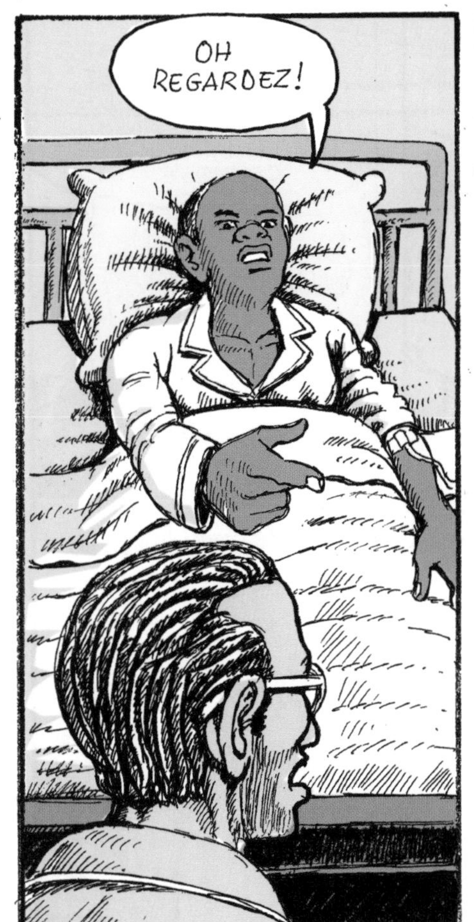
OH REGARDEZ!

POUVEZ-VOUS M'AIDER?
JE N'EN AVAIS JAMAIS VU AVANT!

POURRIEZ-VOUS LEUR DEMANDER DE ME LAISSER SORTIR DEHORS, QUE JE PUISSE TOUCHER LA NEIGE AVANT MON DÉPART?

TU AS VU, C'EST LE MIRACULÉ

IL PARAÎT QU'IL N'EN ÉTAIT PAS À SON PREMIER ESSAI. UNE FOIS AU BRÉSIL, ET À CHAQUE FOIS INDEMNE
PAS SI INDEMNE QUE ÇA, CETTE FOIS. JE LE SAIS, C'EST UN DE MES VOISINS. IL A DEPUIS D'HORRIBLES MAUX DE TÊTE ET VOIT FLOU !

PARAÎT MÊME QU'IL EST DEVENU ENCORE PLUS FOU ! IL N'ARRÊTE PAS DE DIRE : « JE VEUX RETOURNER EN FRANCE ! »
SI LUI S'EN EST SORTI VIVANT, ON NE PEUT PAS EN DIRE AUTANT POUR TOUS LES JEUNES AFRICAINS QUI ONT SUIVI SON EXEMPLE DEPUIS. C'EST UNE ÉPIDÉMIE !

LES AUTORITÉS BELGES VIENNENT DE
RENDRE PUBLIQUE UNE LETTRE
ES DEUX JEUNES GUINÉENS
MORTS DE FROID DANS LE TRA
TTERRISSAGE D'UN AVION EFFE
ASON CONAKRY ET BRUXELLES
UTORITÉS GUINÉEN

BOUNA !

TON PATRON VIENT DE NOUS APPELER!
POUR LE TROISIÈME JOUR CONSÉCUTIF, TU NE T'ES PAS PRÉSENTÉ À TON BOULOT!
POURQUOI ?

JE... JE NE SAIS PAS!
IL NE VEUT PLUS TE VOIR. C'ÉTAIT POURTANT UN BON POSTE, IL TE L'AVAIT DONNÉ À CAUSE DE TON HISTOIRE. TES FRÈRES ET SOEURS ONT UN MOINS BON TRAVAIL!

CE TRAVAIL AURAIT ÉTÉ UNE BONNE CHOSE POUR LE JUGE. TU SAIS QUE TON PROCÈS EST POUR BIENTÔT!

NE ME PARLE PAS DE ÇA!!! CES MAUDITS POLICIERS FRANÇAIS QUI ME PROPOSENT DE VENIR VOIR MA FAMILLE EN ME PROMETTANT DE ME RAMENER EN FRANCE ENSUITE!

UNE FOIS ARRIVÉ À DAKAR, ON ME JETTE EN PRISON COMME UN VOLEUR, COUPABLE D'EMBARQUEMENT CLANDESTIN DANS UN AÉRONEF, ILS ONT DIT ENSUITE, ON ME LIBÈRE ET DEPUIS, J'ATTENDS!
CALME, FILS!

VIENS, ON RENTRE! TU AS DÛ AUSSI OUBLIER TES MÉDICAMENTS! TU VAS GUÉRIR!
IL N'Y A QU'EN FRANCE QUE JE PEUX GUÉRIR!

TU NE VEUX PAS RETIRER TON BONNET? AVEC CETTE CHALEUR ...
NON ON ME L'A OFFERT À LYON UN JOUR DE NEIGE!

BOUNA, TU PEUX ALLER ME CHERCHER DES CIGARETTES?
OUI, PÈRE!
7 JUIN 1999
ÇA VA, PETIT FRÈRE ?
OUI OUI !!!
ENVOLEZ-VOUS VERS L'EUROPE AVEC AIR AFRIQUE
.PARIS .BRUXELLES .MADRID

LE CORPS DE BOUNA FUT RETROUVÉ LE LENDEMAIN À ABIDJAN. LA FAMILLE ANNONÇA LE 4 AOÛT SA DISPARITION. C'EST GRÂCE À UNE PHOTO QUE SON PÈRE LE RECONNUT.

Dessin de couverture original par Adjé.

Cette collection originale vous permet de faire connaissance avec des auteurs africains de bande dessinée. Encore peu connu à l'extérieur de l'Afrique, le neuvième art de ce continent recèle de nombreux talents graphiques, souvent peu conventionnels, aptes à séduire les lecteurs du monde entier. Ces bandes dessinées seront pour vous une occasion unique de découvrir une Afrique racontée par ses habitants, loin des clichés et des préjugés.

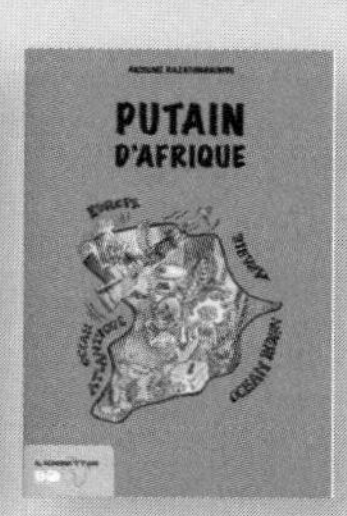

DÉJÀ PARUS

1 - **Le retour au pays d'Alphonse Madiba dit Daudet** Christophe Ngalle Edimo & Al'Mata
2 - **Les aventures d'Africavi (tome 1)** Anani & Mensah Accoh
3 - **Visions d'Afrique** Collectif
4 - **Putain d'Afrique** Anselme Razafindrainibe
5 - **Vive la corruption** Didier Viodé
6 - **Thembi et Jetje, tisseuses de l'arc-en-ciel** Collectif
7 - **Chroniques de Brazzaville** Collectif
8 - **Jungle urbaine (tome 1)** Kash
9 - **Mokanda illusion** Mongo Sisé
10 - **Cargaison mortelle à Abidjan** Japhet Miagotar
11 - **Un guerrier dendi** Sani
12 - **Les envahisseurs** Benjamin Kouadio
13 - **Tana blues** Ndrematoa
14 - **Sommets d'Afrique** Collectif
15 - **Le turban et la capote** Nassur Attoumani & Luke Razaka
16 - **Séductions / Mille mystères d'Afrique** Koffi Roger N'Guessan
17 - **Moto-taxi** Hodall Béo
18 - **Laff Lafrikain** Moss
19 - **Nouvelles d'Afrique** Collectif

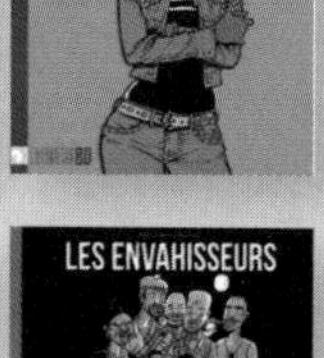

Collection dirigée par Christophe Cassiau-Haurie

www.editions-harmattan.fr